ᐅᑭᐅᖅᑕᖅᑐᒥ ᖁᐱᕐᕈᑦ
UKIUQTAQTUMI QUPIRRUT
ARCTIC INSECTS

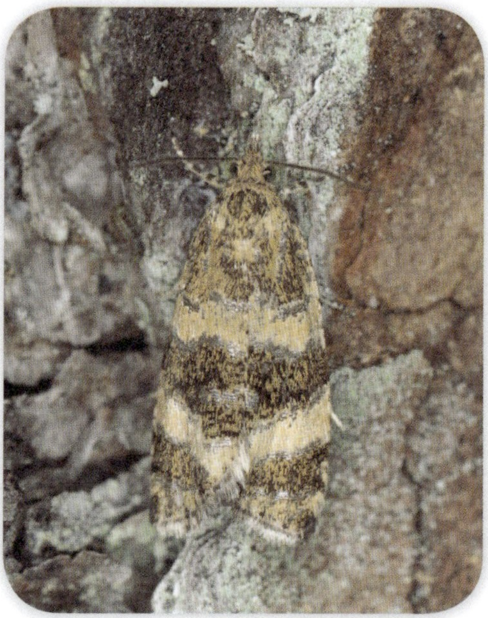

I0808081

ᑭᑦᑐᕆᐊᖅ

kitturiaq

mosquito

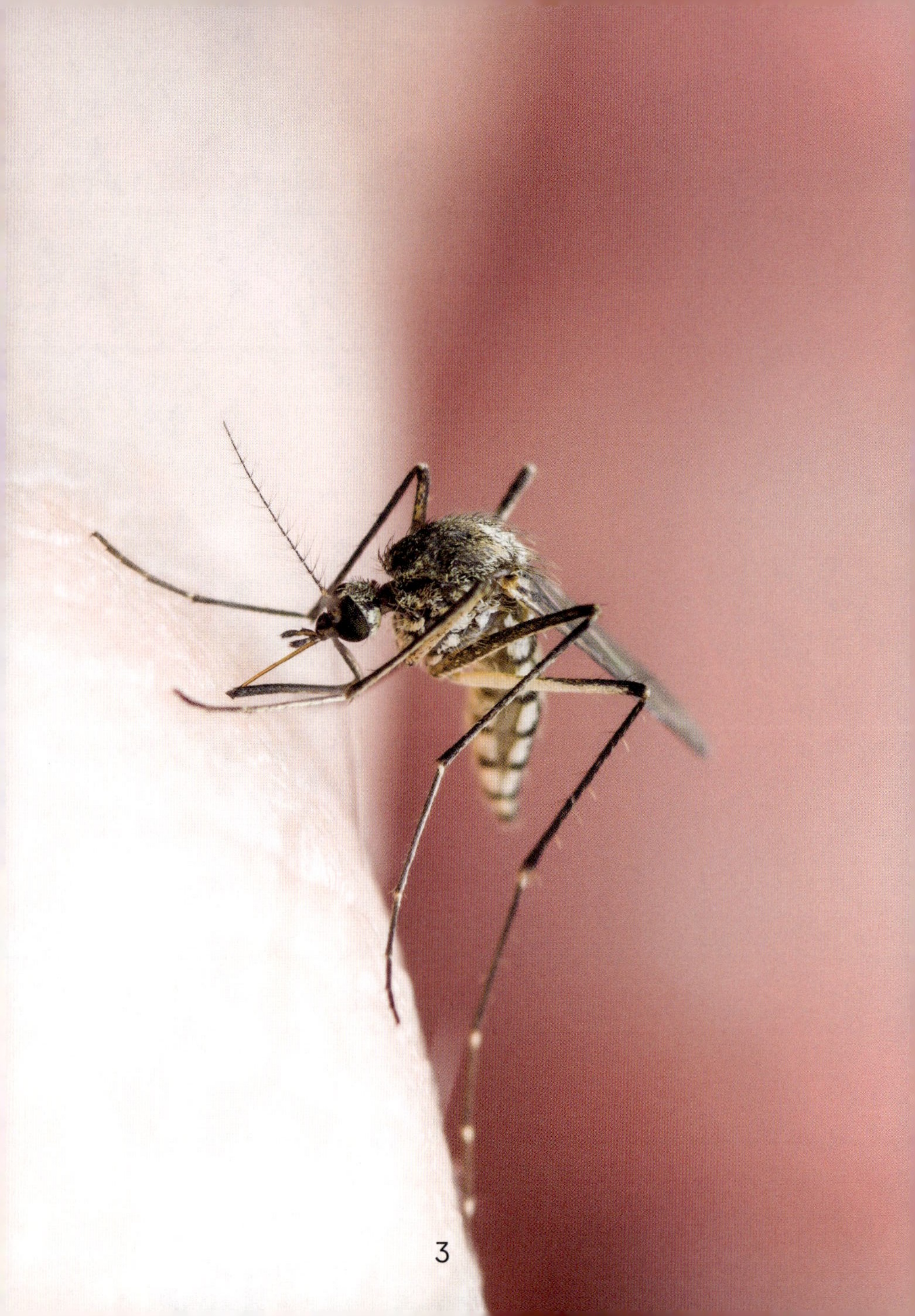

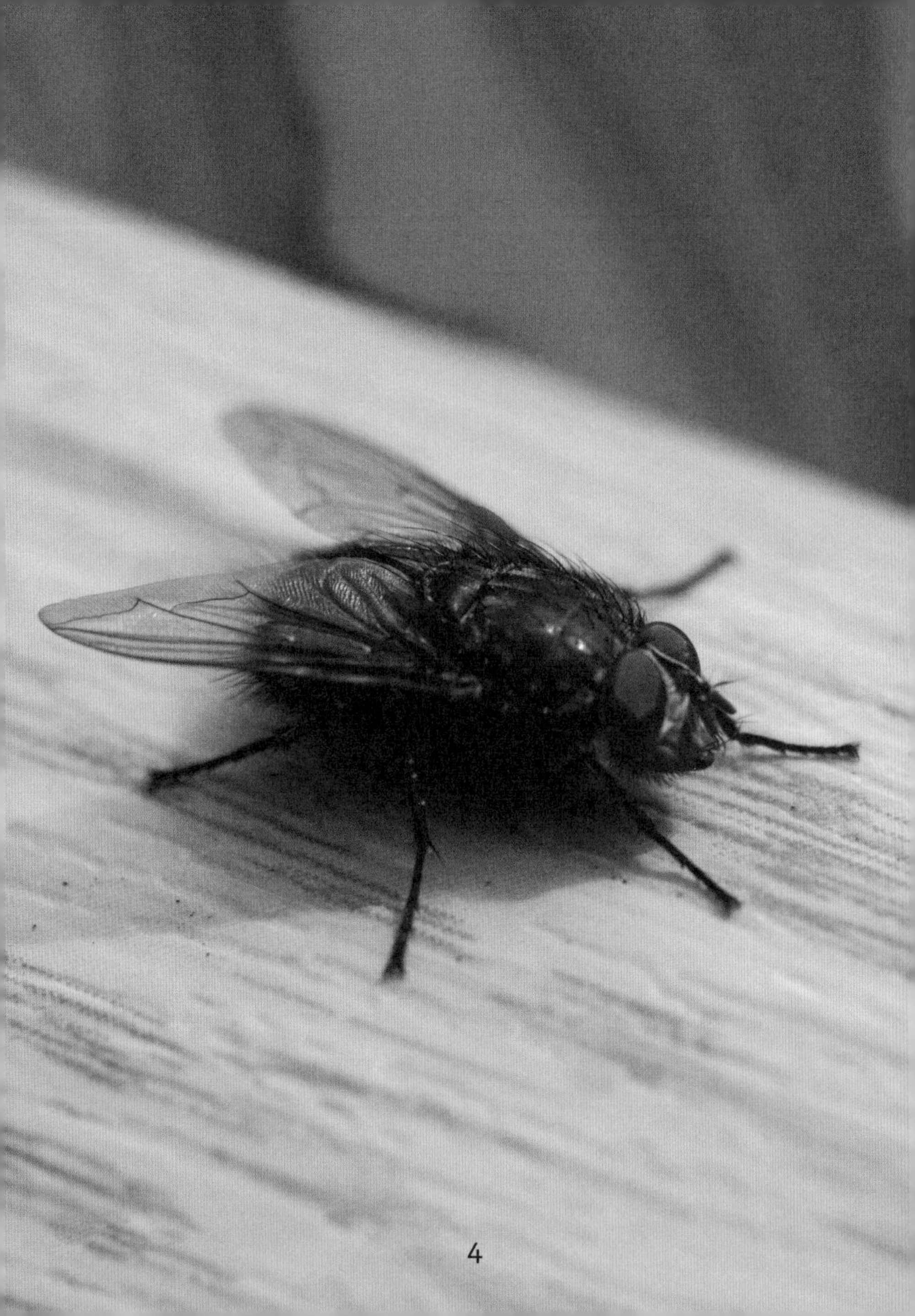

ᐊᓇᖖᒋᖅ

ananngiq

fly

ᒥᖅᑯᓕᒋᐊᖅ

miqquligiaq

caterpillar

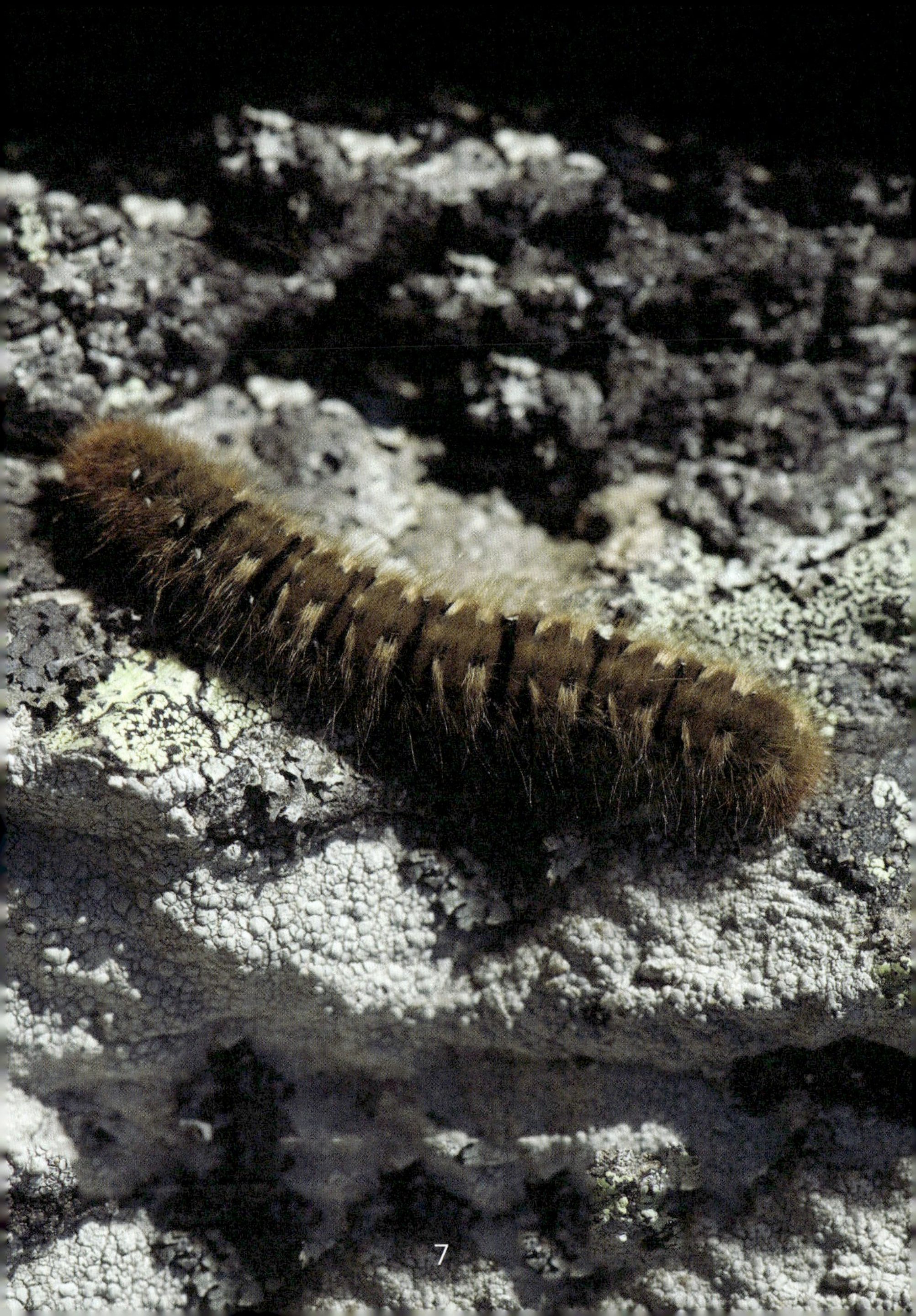

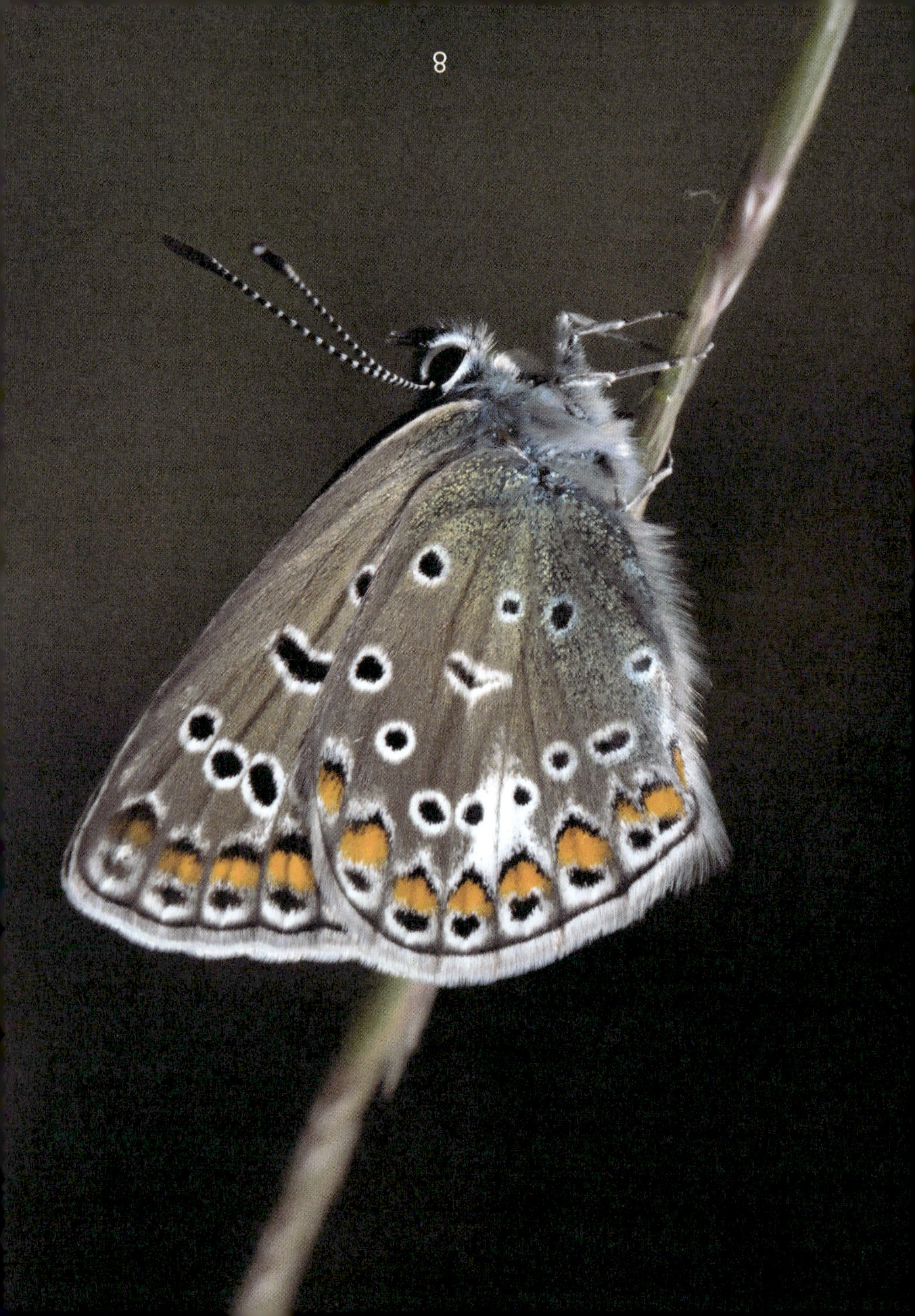

ᑕᕐᕋᓕᑭᑖᖅ

tarralikitaaq

butterfly

ᑑᕐᖓᕕᐊᖅ

tuurngaviaq

moth

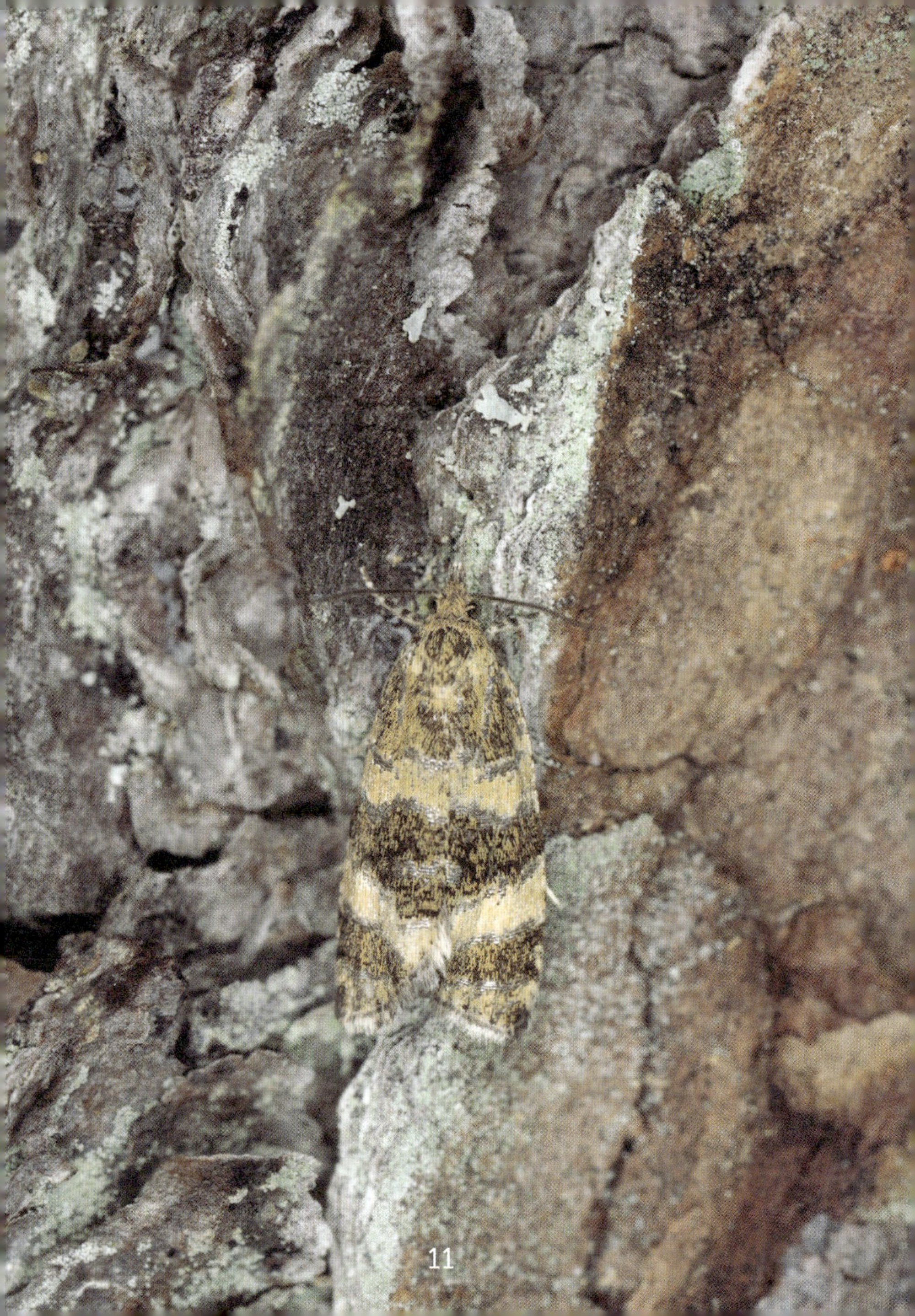

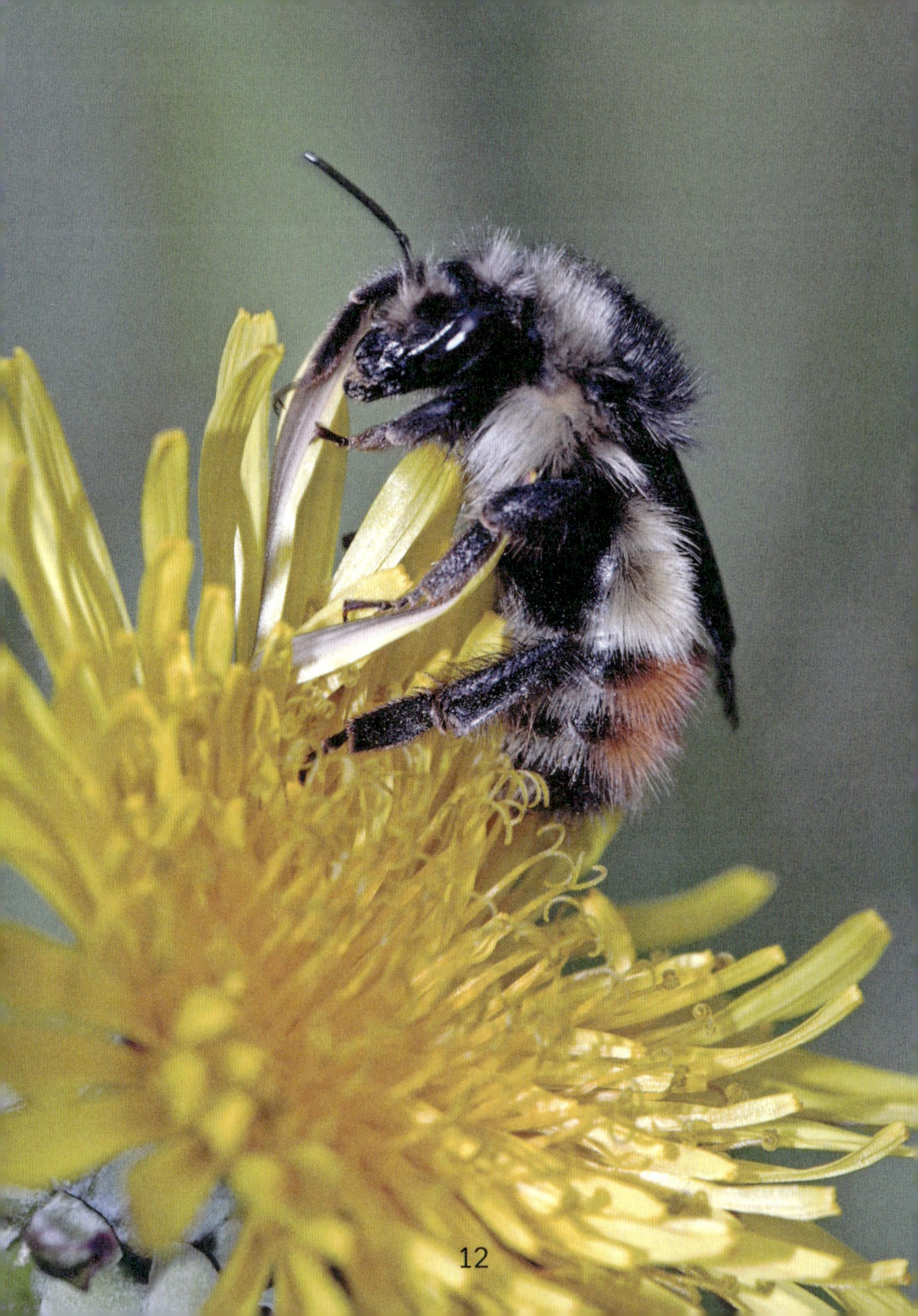